什么是公文式教育？

公文式教育是全球最大一家辅助教育机构，并一直走在早教领域前列。50年来，全球各个公文式教育中心始终关注着孩子们的成长，并不断帮助孩子们在数学、阅读方面取得进步。

此系列公文式练习册由公文式教育中心专业老师精心编制，是公文式学前教育—大学教育体系中的部分课程内容。

公文式学习法根据每个孩子的不同优势与发展条件，精心规划出不同的教程，能让孩子们通过系统的训练不断增长能力，最终完全掌握学习技巧。

公文式教育能够帮助全年龄段的学生掌握各种基础技能，培养他们形成自主学习的习惯，并让他们获得极大成就感。

公文式教育的创始

50年前，一位身为教师的父亲——公文公，编制出一套学习法来帮助儿子小毅提高成绩。在妻子的支持下，他编出了一套完整的练习册，他的孩子每天只需练习20分钟便可飞速提高数学成绩。这些题目的难易跨度并不大，每一题仅增加一点难度，但小毅通过这种方式轻松掌握了知识并且不断进步。令公文先生吃惊的是，小毅在六年级时已经可以解开涉及初步微积分的题目。不久，意识到此学习法重要性的公文先生又编出了提高阅读能力的辅导书。现在，这种学习法已经成为公文式教育中心的基础教学内容，并由专业指导老师负责讲授。

公文公先生
公文式教育创始人

公文式教育如何帮助孩子成长

公文式教育通过一整套有系统有组织的学习教材，确保了每个孩子都能够按照各自的步伐轻轻松松地进步，同时还能在学习中获取自学能力。在成长的过程中，他们始终能感到："只要敢于尝试，任何目标都是唾手可及的。"公文式教育帮助孩子们树立起自尊和自信。

公文式教育的特色

公文式学习法打破了"所有孩子都在同一间教室同一段时间学习同一内容"的传统教育理念。教育不应只是一种单纯的大众化知识传播，还应该认识到人与人之间存在能力上的差异。公文式学习法提倡：让能力强的孩子尽其所能地前进；能力弱的孩子则应该在他们感到轻松的地方学习，等到完全掌握以后再继续前进。不应该强迫孩子超越自己的能力进行学习。

公文式指导老师扮演的角色

公文式教育中心的指导老师们并不是传统意义上的课堂主导人，他们更接近辅助者。他们为孩子提供一种引导、一种支持和一种鼓励，由此推动孩子前进，让孩子们的潜力得到充分开发。同时，在孩子们快速成长进步的过程中，教师们也会产生帮助孩子成功的强烈愿望。

公文式学习法：

· 掌握阅读、数学的基础技能　　· 循序渐进，培养学习兴趣

· 增强自学能力与自我约束力　　· 多种难度的掌握

· 让孩子发挥出潜力　　· 给予极大成就感

苹果

■ 仔细观察示例图，之后按箭头步骤在下图中沿灰线描出轮廓，
　最后为图案上色。

示例图

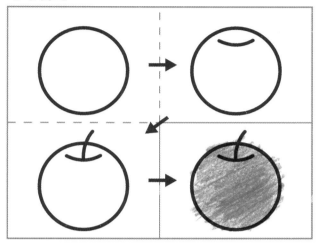

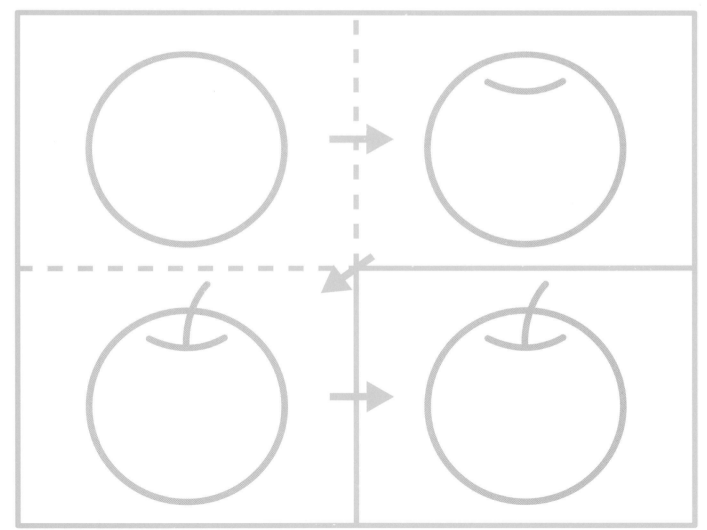

■现在请试着自己画出苹果。

2 棒球

| 姓名: |
| 日期: |

■ 仔细观察示例图，之后按箭头步骤在下图中沿灰线描出轮廓，
最后为图案上色。

示例图

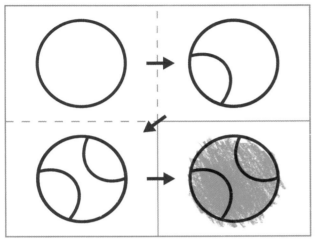

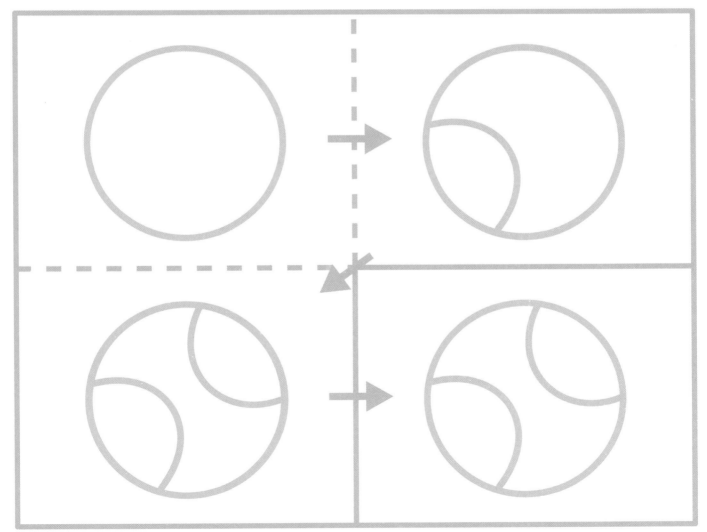

■现在请试着自己画出棒球。

3 气球

姓名：

日期：

■仔细观察示例图，之后按箭头步骤在下图中沿灰线描出轮廓，
　最后为图案上色。

示例图

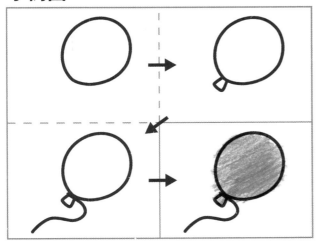

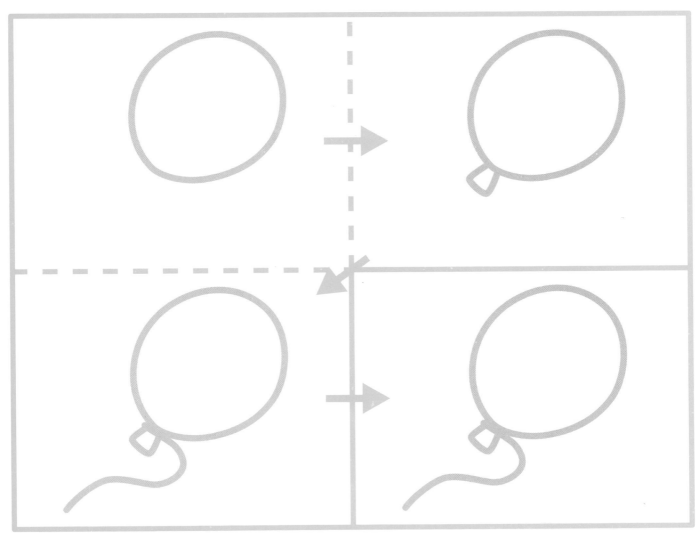

■现在请试着自己画出气球。

 **桔子**

■仔细观察示例图，之后按箭头步骤在下图中沿灰线描出轮廓，
最后为图案上色。

示例图

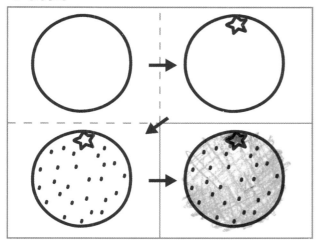

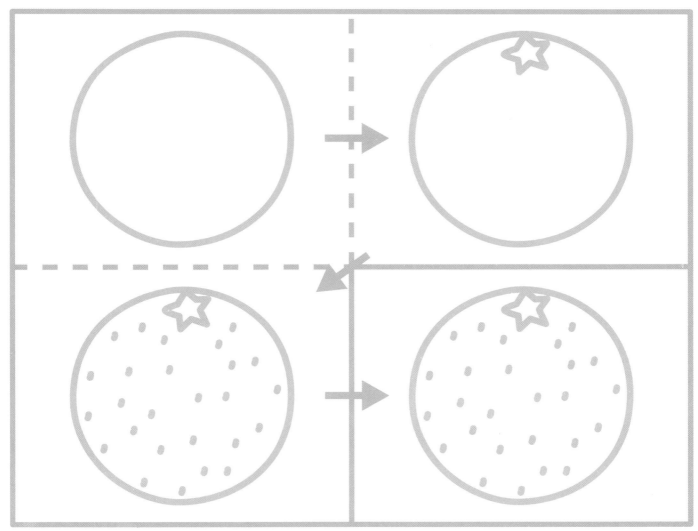

■ 现在请试着自己画出桔子。

5 樱桃

<table>
<tr><td>姓名：</td></tr>
<tr><td>日期：</td></tr>
</table>

■ 仔细观察示例图，之后按箭头步骤在下图中沿灰线描出轮廓，
　最后为图案上色。

示例图

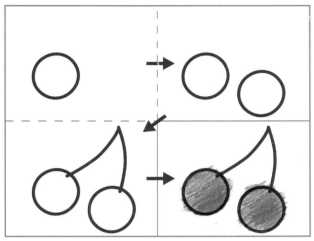

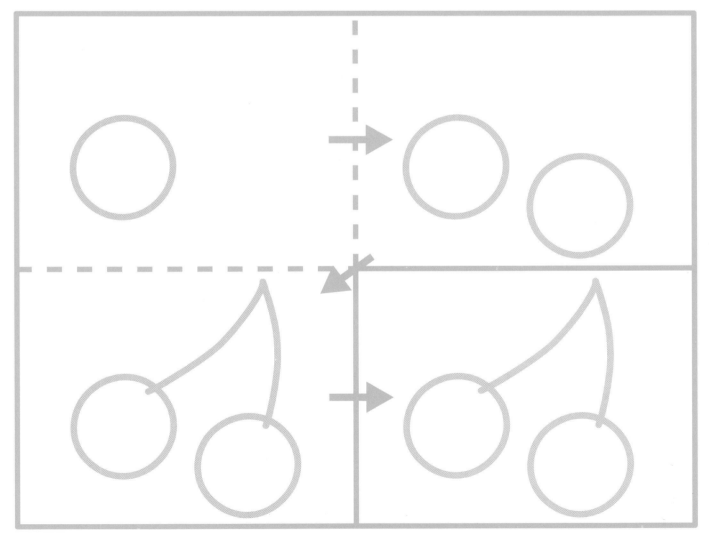

■现在请试着自己画出樱桃。

6 煎蛋

| 姓名： |
| 日期： |

■ 仔细观察示例图，之后按箭头步骤在下图中沿灰线描出轮廓，
最后为图案上色。

示例图

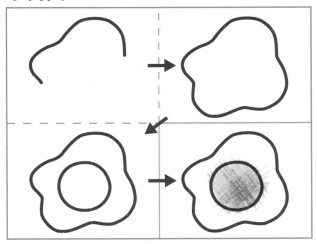

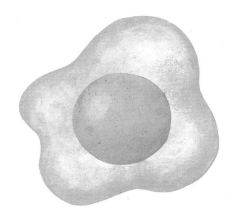

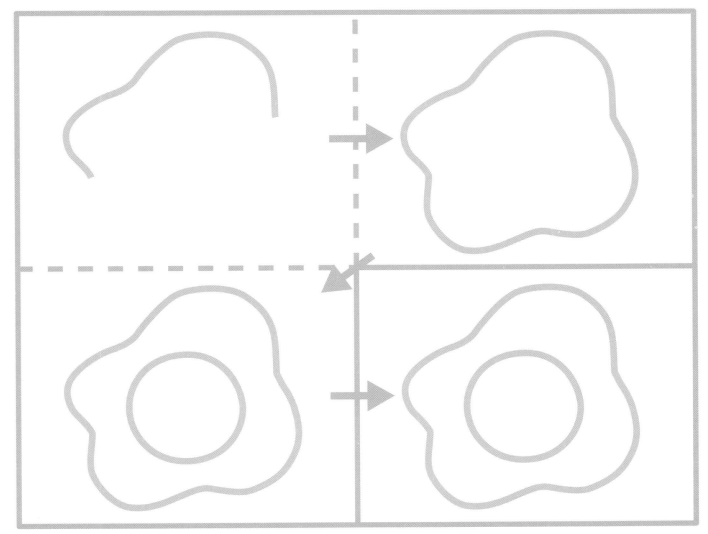

■现在请试着自己画出煎蛋。

7 刨冰

姓名：

日期：

■仔细观察示例图，之后按箭头步骤在下图中沿灰线描出轮廓，
最后为图案上色。

示例图

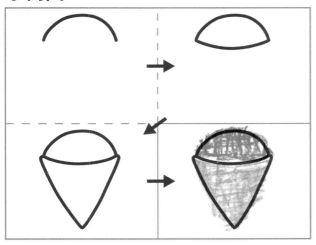

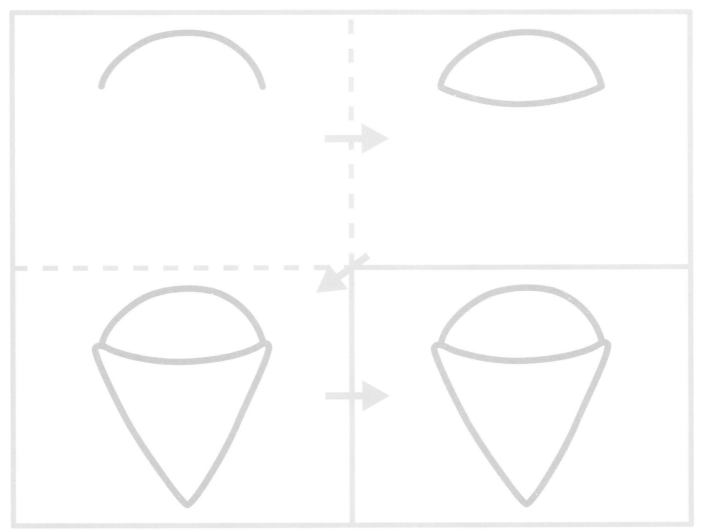

■现在请试着自己画出刨冰。

8 橡果

■仔细观察示例图，之后按箭头步骤在下图中沿灰线描出轮廓，
　最后为图案上色。

示例图

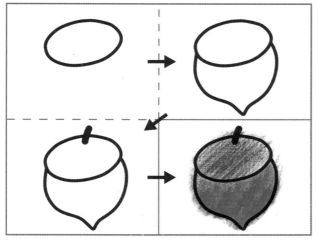

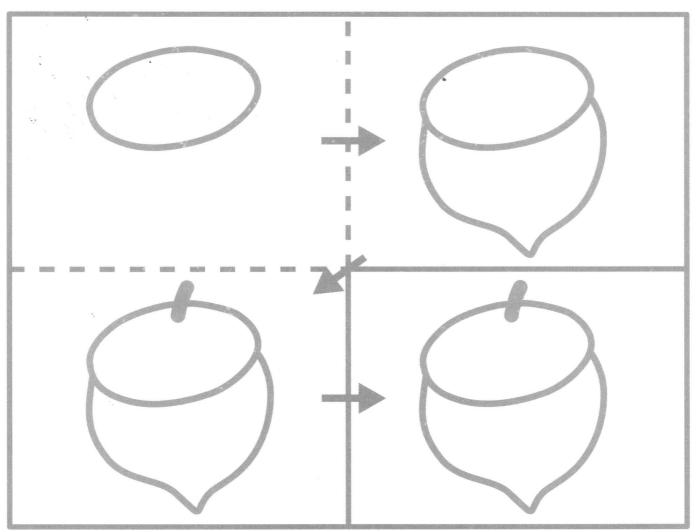

■现在请试着自己画出橡果。

9 蘑菇

姓名：

日期：

■仔细观察示例图，之后按箭头步骤在下图中沿灰线描出轮廓，
　最后为图案上色。

示例图

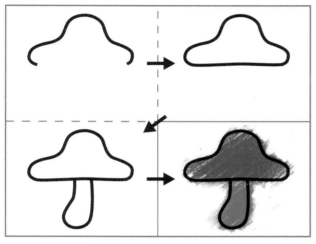

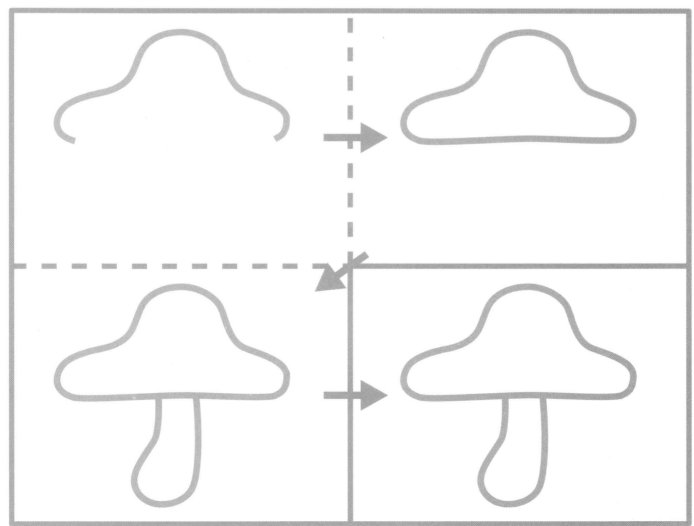

■现在请试着自己画出蘑菇。

10 茄子

■仔细观察示例图，之后按箭头步骤在下图中沿灰线描出轮廓，
最后为图案上色。

示例图

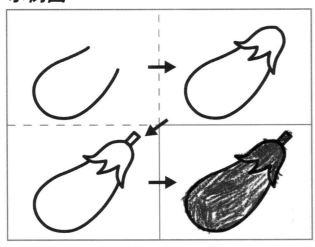

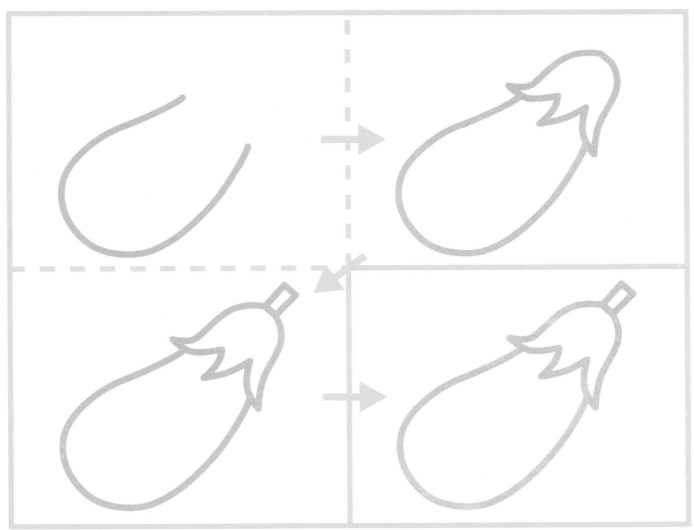

■现在请试着自己画出茄子。

 **热狗**

■仔细观察示例图，之后按箭头步骤在下图中沿灰线描出轮廓，
　最后为图案上色。

示例图

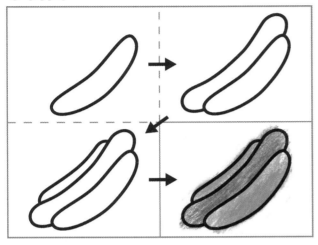

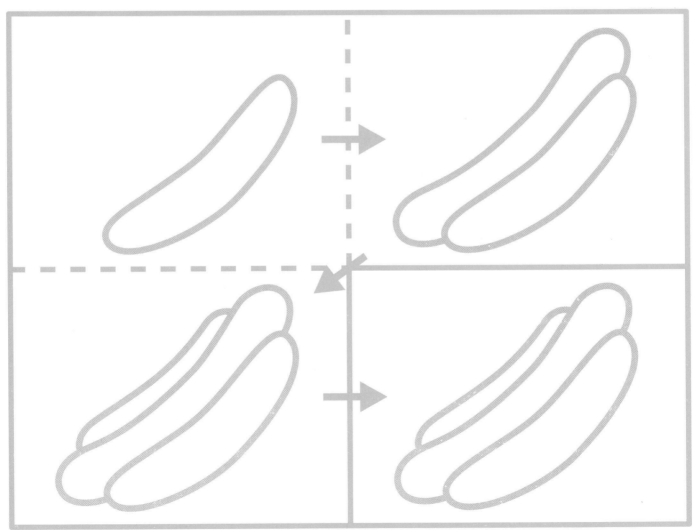

■现在请试着自己画出热狗。

12 草莓

■仔细观察示例图，之后按箭头步骤在下图中沿灰线描出轮廓，
　最后为图案上色。

示例图

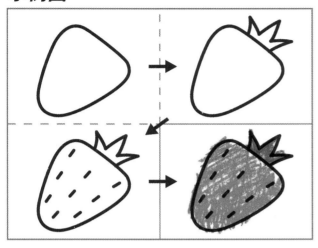

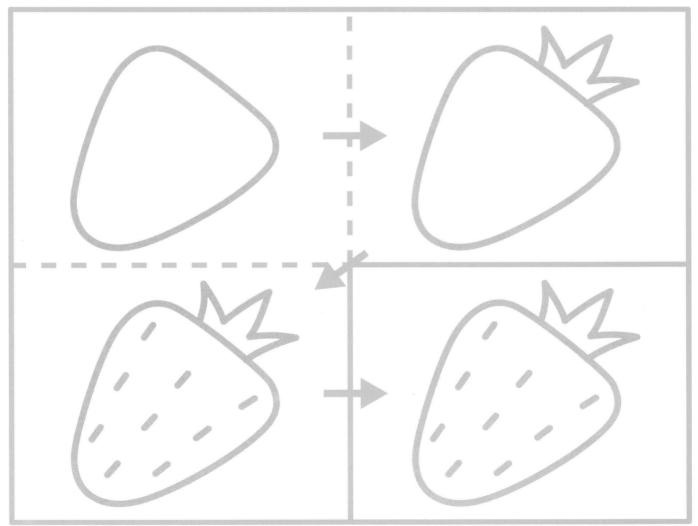

■现在请试着自己画出草莓。

汉堡

■仔细观察示例图，之后按箭头步骤在下图中沿灰线描出轮廓，
最后为图案上色。

示例图

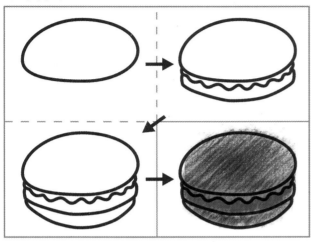

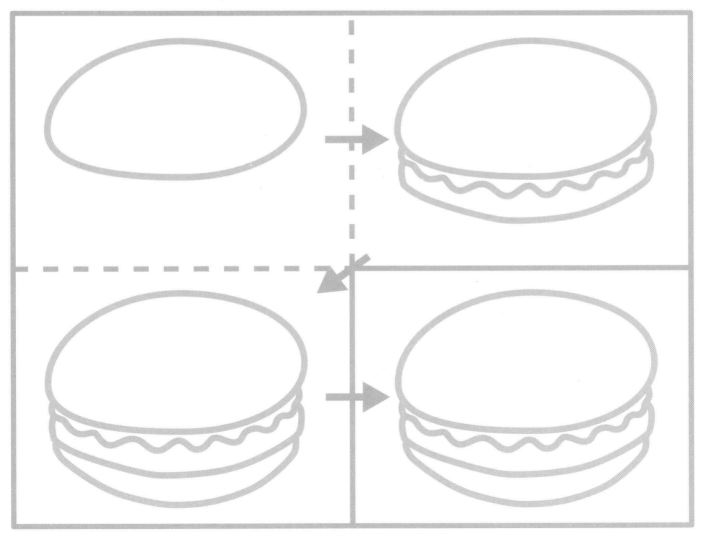

■现在请试着自己画出汉堡。

14 靴子

■仔细观察示例图，之后按箭头步骤在下图中沿灰线描出轮廓，
最后为图案上色。

示例图

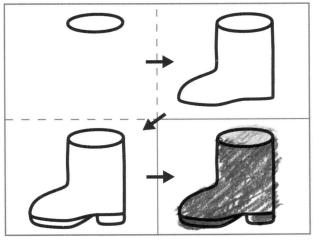

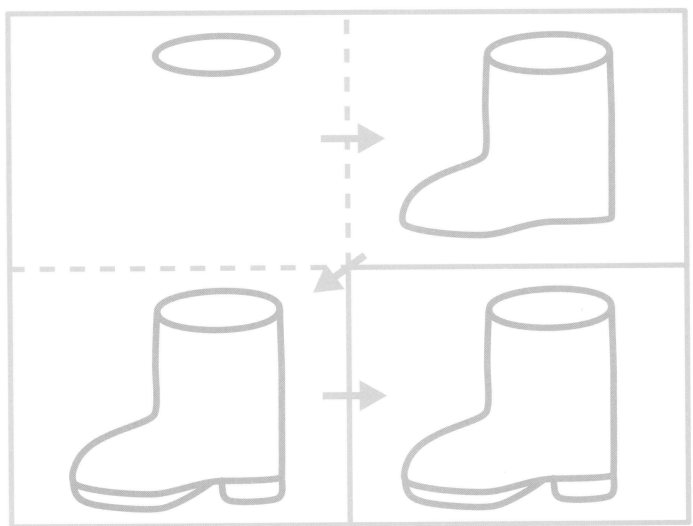

27

■现在请试着自己画出靴子。

15 帽子

■仔细观察示例图，之后按箭头步骤在下图中沿灰线描出轮廓，
最后为图案上色。

示例图

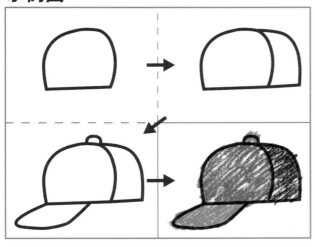

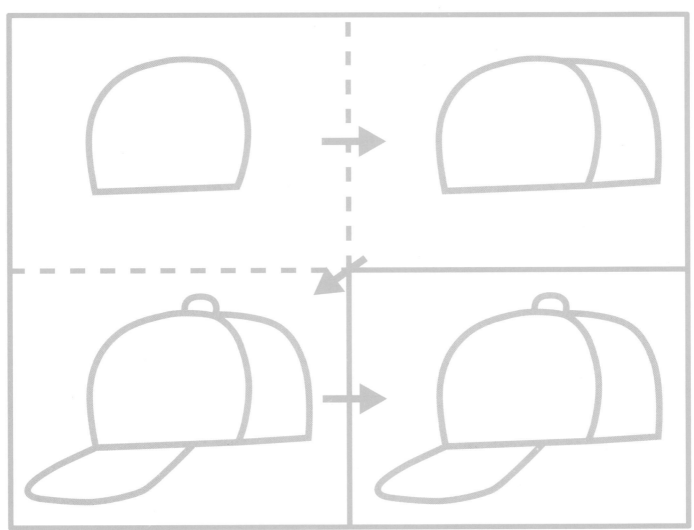

■现在请试着自己画出帽子。

西瓜

| 姓名： |
| 日期： |

■ 仔细观察示例图，之后按箭头步骤在下图中沿灰线描出轮廓，
最后为图案上色。

示例图

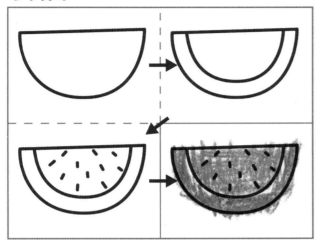

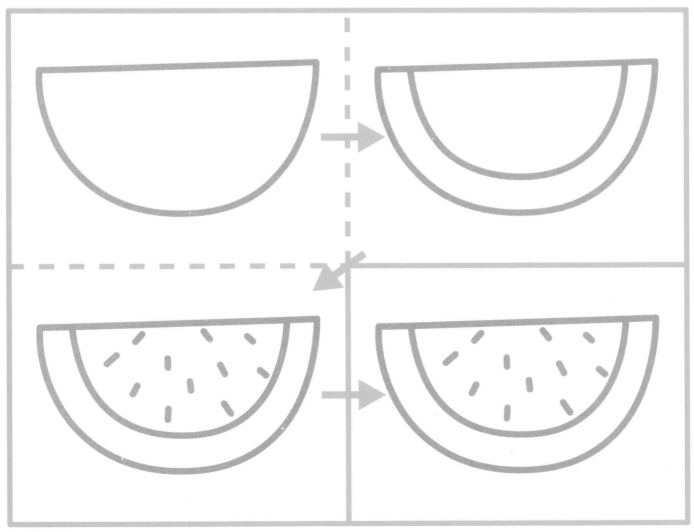

■现在请试着自己画出西瓜。

17　背心

姓名：
日期：

■仔细观察示例图，之后按箭头步骤在下图中沿灰线描出轮廓，
　最后为图案上色。

示例图

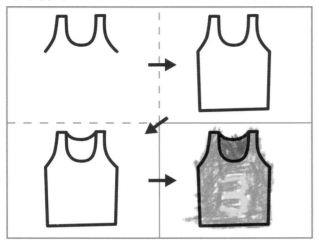

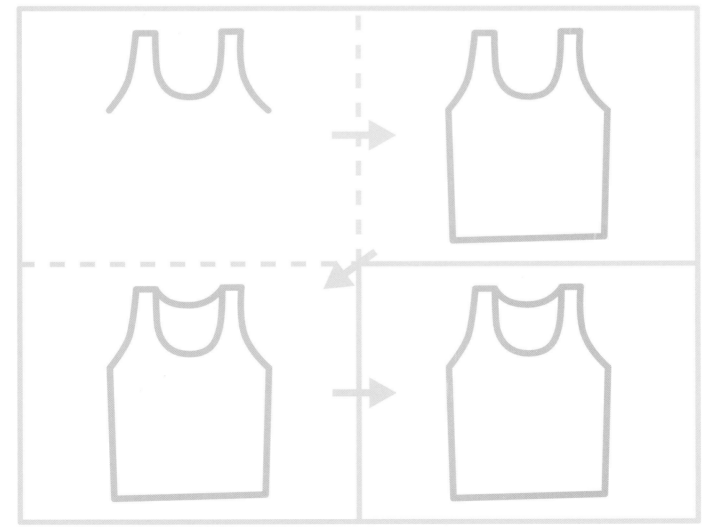

33

■现在请试着自己画出背心。

老鼠

姓名：

日期：

■ 仔细观察示例图，之后按箭头步骤在下图中沿灰线描出轮廓，
最后为图案上色。

示例图

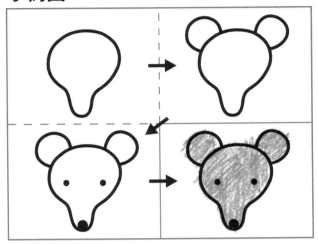

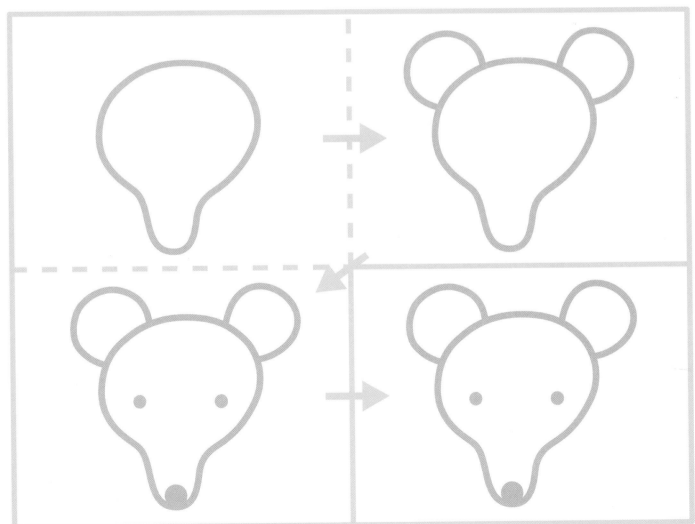

■现在请试着自己画出老鼠。

19 狗熊

■仔细观察示例图，之后按箭头步骤在下图中沿灰线描出轮廓，
最后为图案上色。

示例图

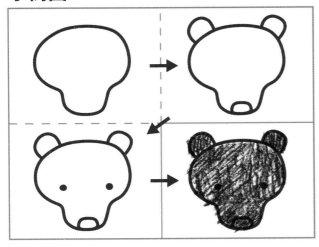

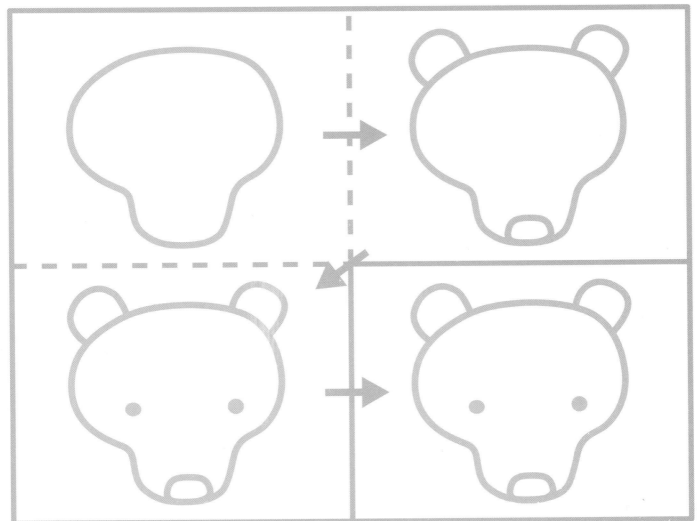

■现在请试着自己画出狗熊。

20 小狗

■ 仔细观察示例图，之后按箭头步骤在下图中沿灰线描出轮廓，
最后为图案上色。

示例图

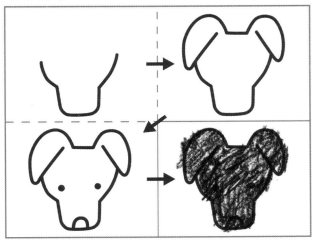

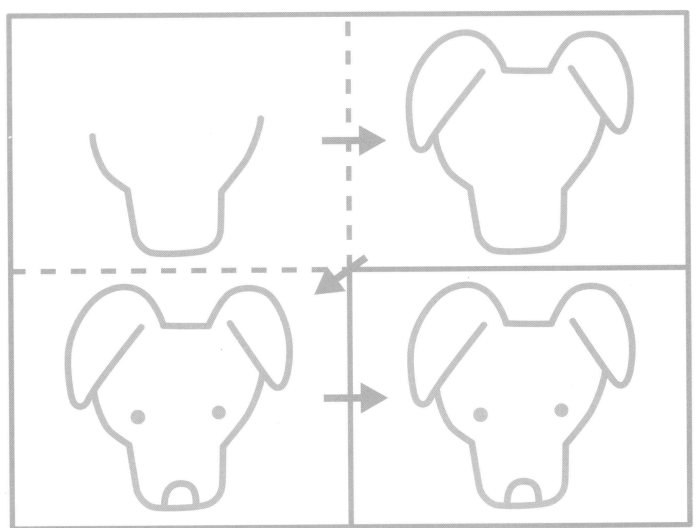

■现在请试着自己画出小狗。

21 狐狸

■仔细观察示例图，之后按箭头步骤在下图中沿灰线描出轮廓，
最后为图案上色。

示例图

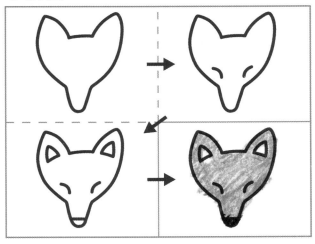

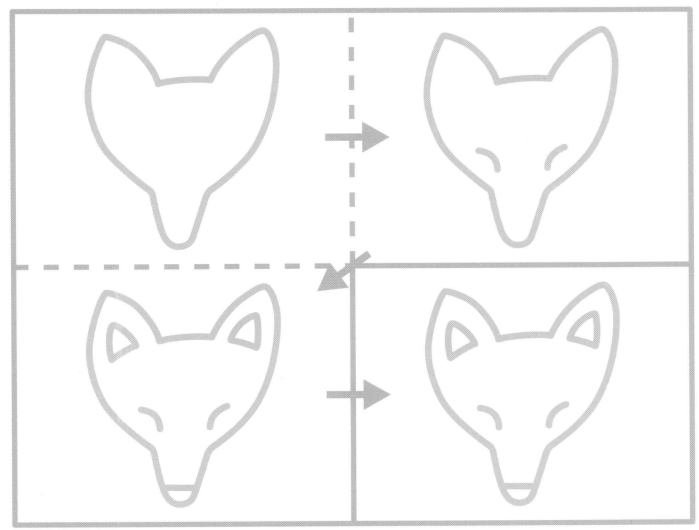

■现在请试着自己画出狐狸。

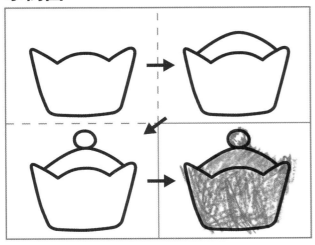

杯子蛋糕

姓名：
日期：

■仔细观察示例图，之后按箭头步骤在下图中沿灰线描出轮廓，
　最后为图案上色。

示例图

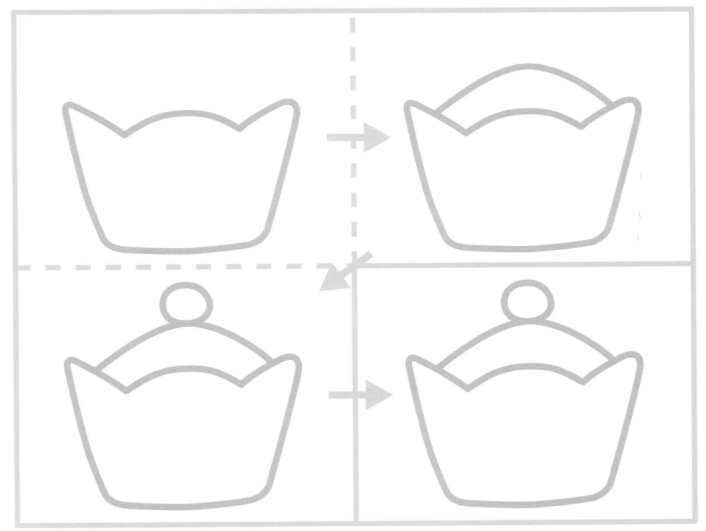

■现在请试着自己画出杯子蛋糕。

23 郁金香

■仔细观察示例图，之后按箭头步骤在下图中沿灰线描出轮廓，
最后为图案上色。

示例图

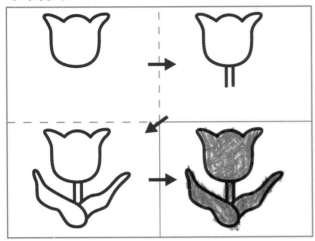

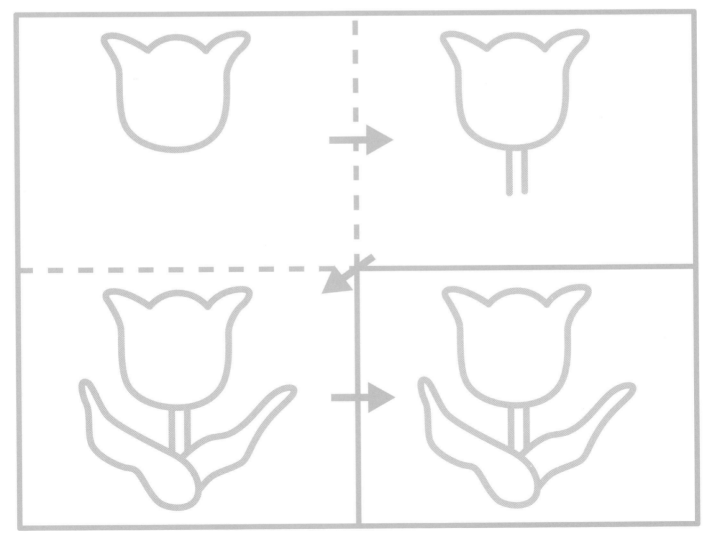

■现在请试着自己画出郁金香。

24 勺子

■仔细观察示例图，之后按箭头步骤在下图中沿灰线描出轮廓，
最后为图案上色。

示例图

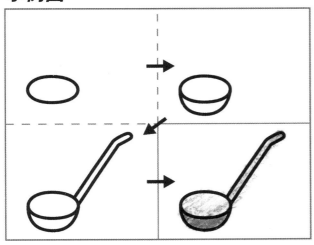

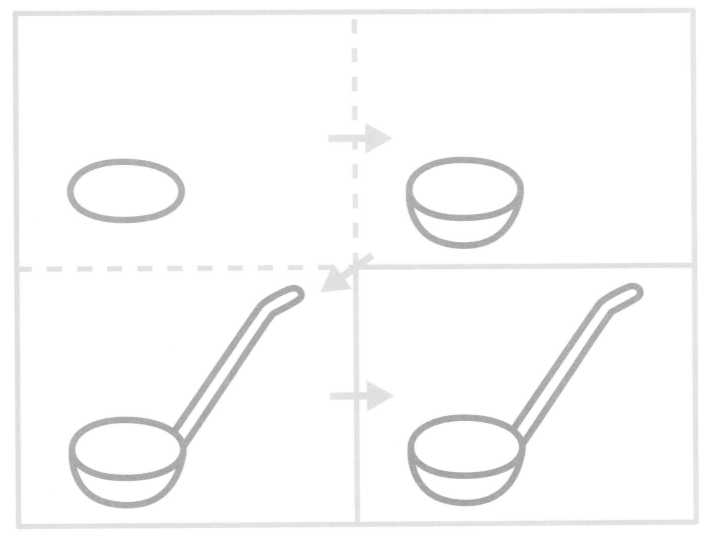

■现在请试着自己画出勺子。

25 平底锅

■仔细观察示例图，之后按箭头步骤在下图中沿灰线描出轮廓，
最后为图案上色。

示例图

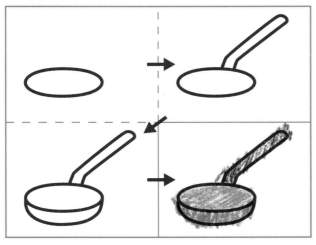

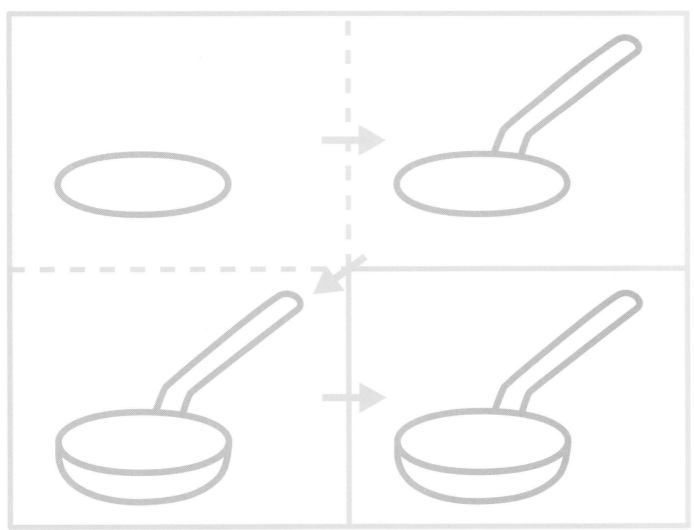

■现在请试着自己画出平底锅。

26 鲸鱼

姓名：
日期：

■仔细观察示例图，之后按箭头步骤在下图中沿灰线描出轮廓，
最后为图案上色。

示例图

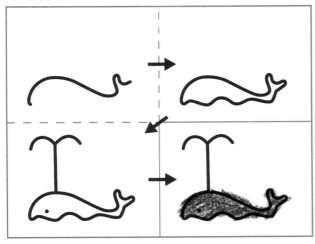

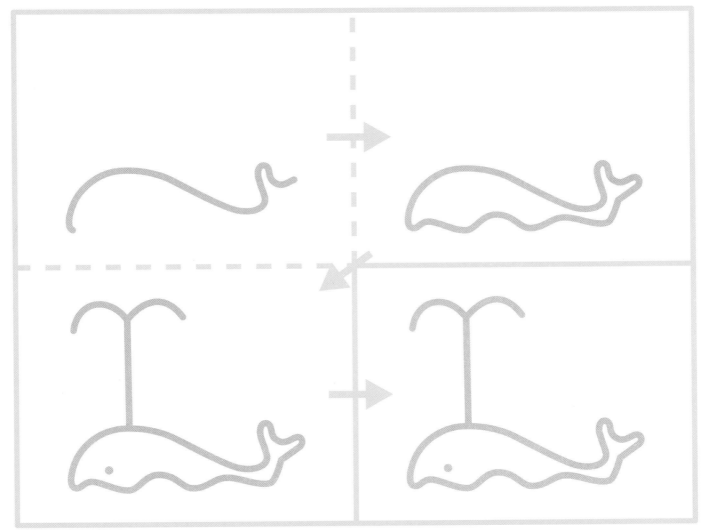

51

■现在请试着自己画出鲸鱼。

风筝

| 姓名： |
| 日期： |

■ 仔细观察示例图，之后按箭头步骤在下图中沿灰线描出轮廓，
最后为图案上色。

示例图

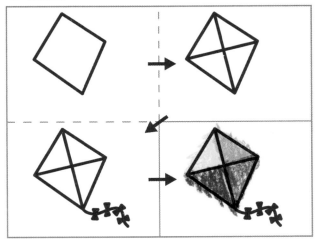

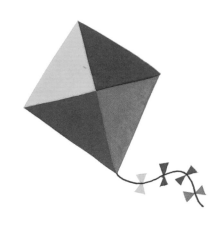

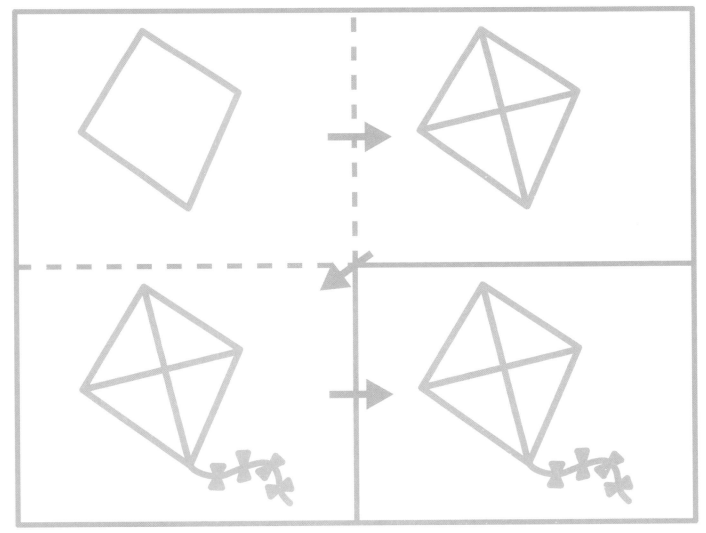

53

■现在请试着自己画出风筝。

28 马克杯

■ 仔细观察示例图，之后按箭头步骤在下图中沿灰线描出轮廓，
最后为图案上色。

示例图

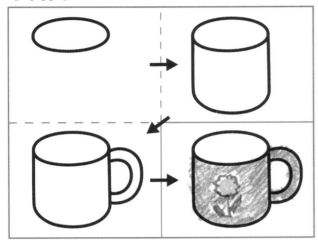

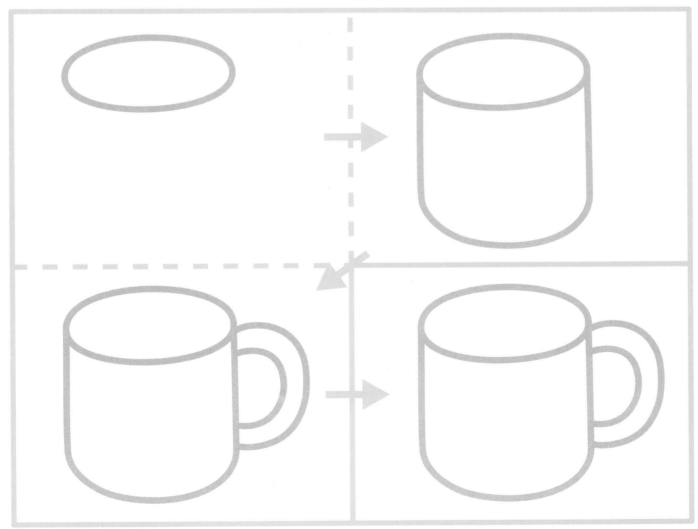

■现在请试着自己画出马克杯。

29 午餐盒

■仔细观察示例图，之后按箭头步骤在下图中沿灰线描出轮廓，
最后为图案上色。

示例图

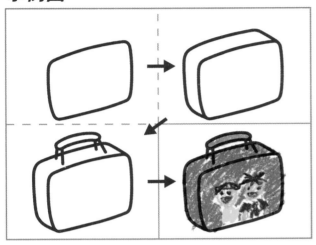

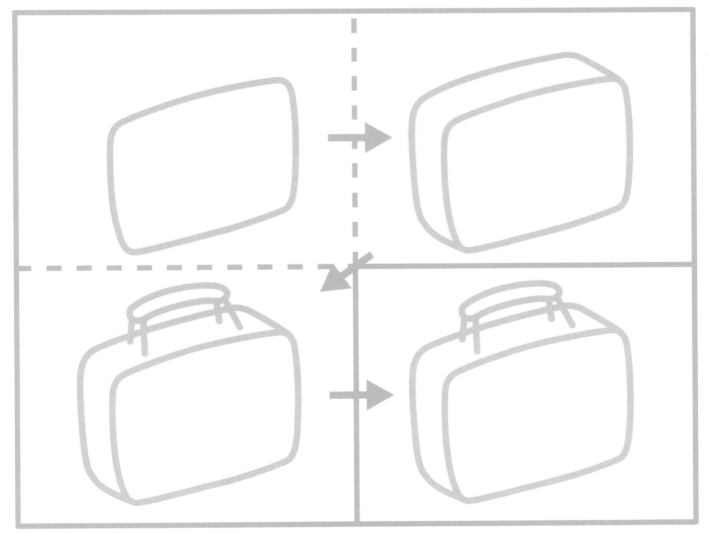

■现在请试着自己画出午餐盒。

 **奶瓶**

■仔细观察示例图，之后按箭头步骤在下图中沿灰线描出轮廓，
　最后为图案上色。

示例图

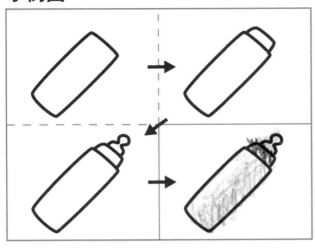

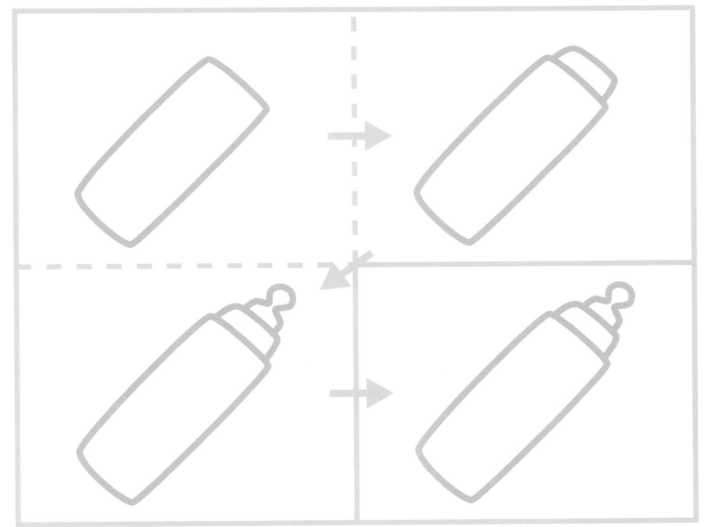

■现在请试着自己画出奶瓶。

钥匙

■仔细观察示例图，之后按箭头步骤在下图中沿灰线描出轮廓，
最后为图案上色。

示例图

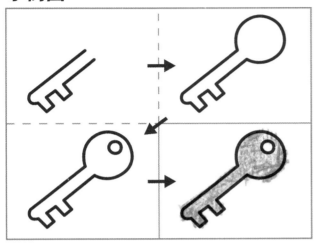

■现在请试着自己画出钥匙。

32 蝙蝠

| 姓名: |
| 日期: |

■仔细观察示例图，之后按箭头步骤在下图中沿灰线描出轮廓，
最后为图案上色。

示例图

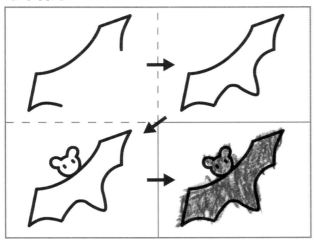

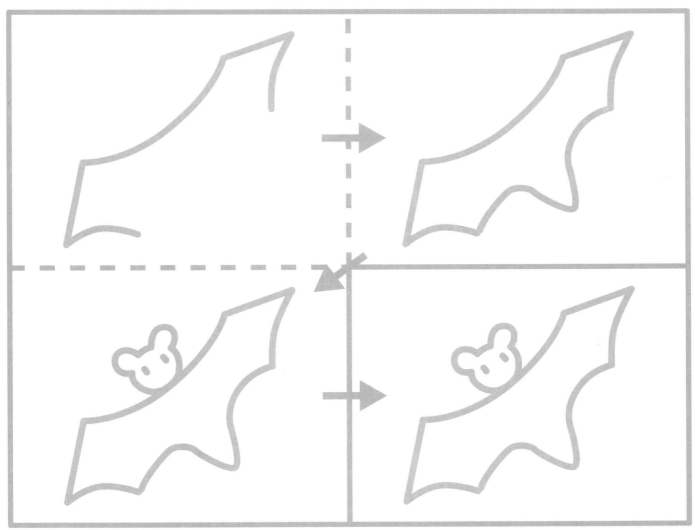

■现在请试着自己画出蝙蝠。

 眼镜

仔细观察示例图，之后按箭头步骤在下图中沿灰线描出轮廓，
最后为图案上色。

示例图

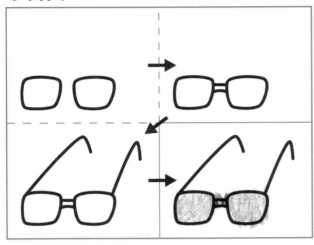

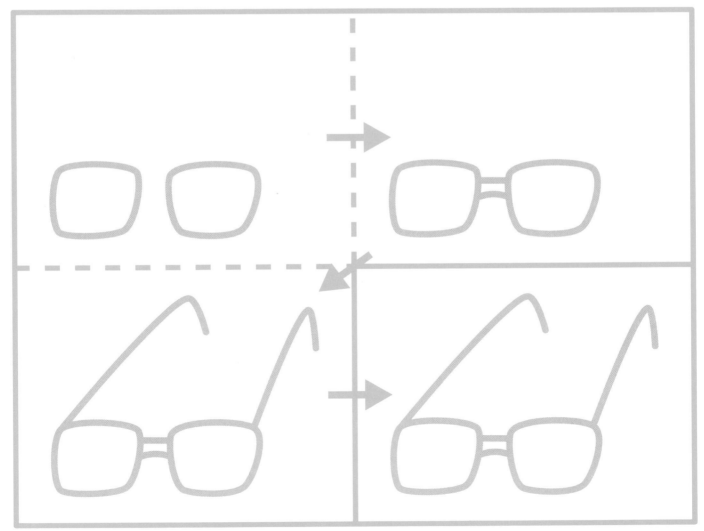

■现在请试着自己画出眼镜。

34 降落伞

■仔细观察示例图，之后按箭头步骤在下图中沿灰线描出轮廓，
最后为图案上色。

示例图

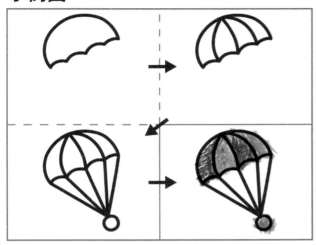

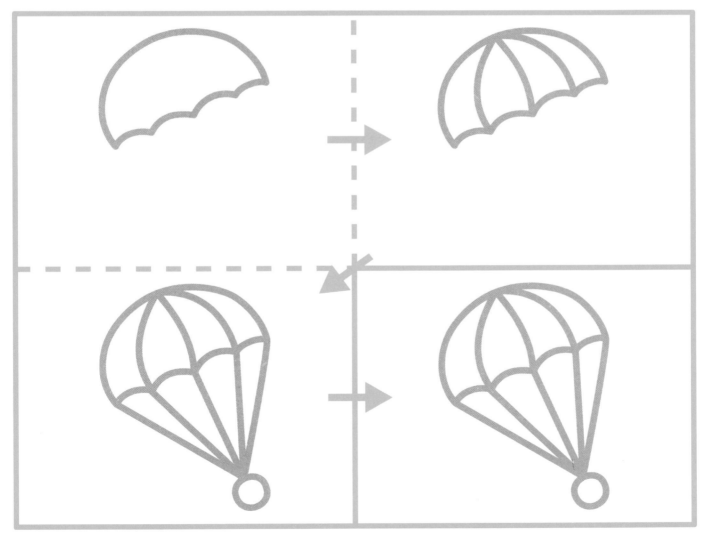

■现在请试着自己画出降落伞。

35 猫咪

姓名:
日期:

■仔细观察示例图，之后按箭头步骤在下图中沿灰线描出轮廓，
最后为图案上色。

示例图

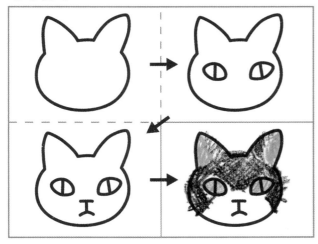

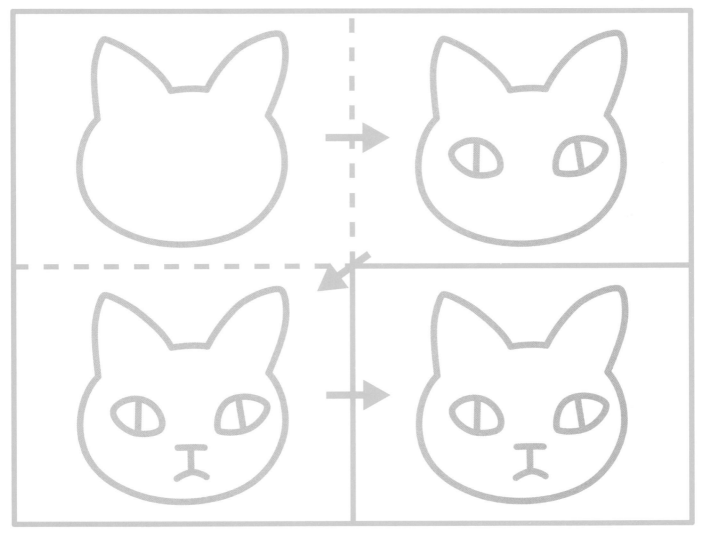

■现在请试着自己画出猫咪。

小丑

■ 仔细观察示例图，之后按箭头步骤在下图中沿灰线描出轮廓，
最后为图案上色。

示例图

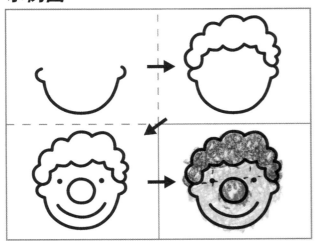

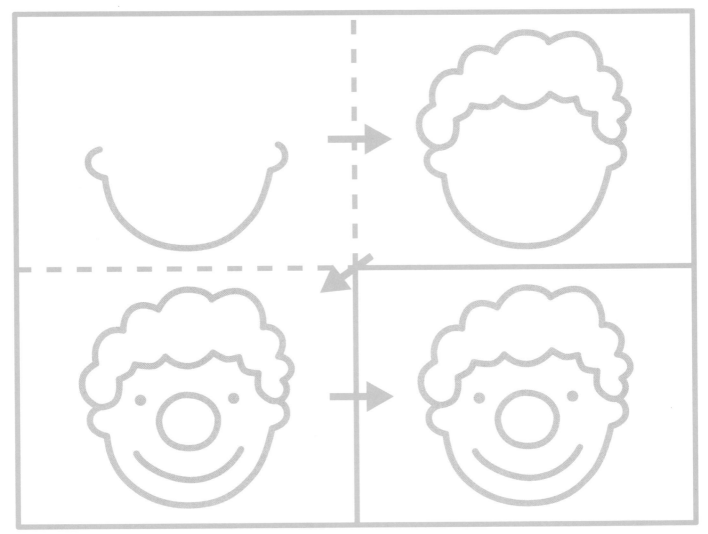

■现在请试着自己画出小丑。

37 骰子

■ 仔细观察示例图，之后按箭头步骤在下图中沿灰线描出轮廓，
最后为图案上色。

示例图

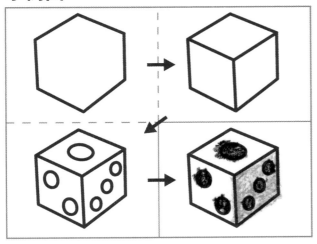

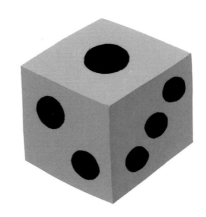

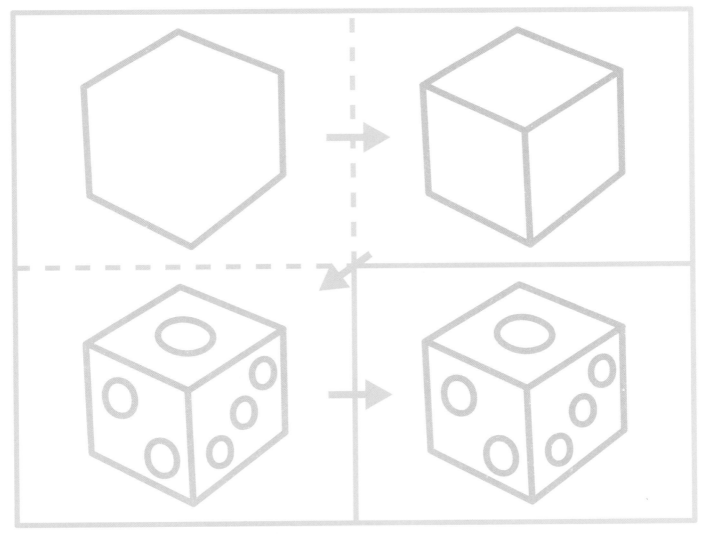

■现在请试着自己画出骰子。

<table>
<tr><td>姓名：</td></tr>
<tr><td>日期：</td></tr>
</table>

■仔细观察示例图，之后按箭头步骤在下图中沿灰线描出轮廓，
最后为图案上色。

示例图

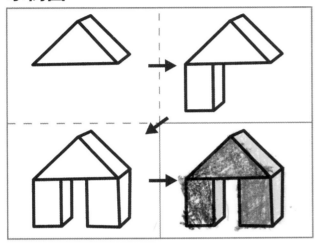

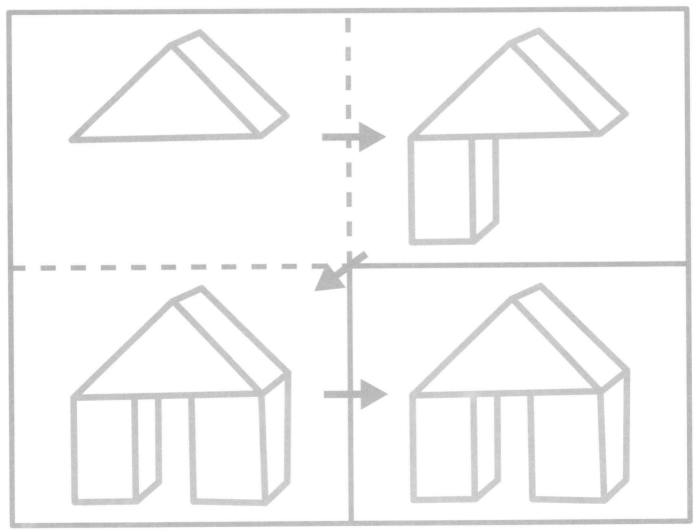

■现在请试着自己画出积木。

39 水壶

■仔细观察示例图，之后按箭头步骤在下图中沿灰线描出轮廓，
最后为图案上色。

示例图

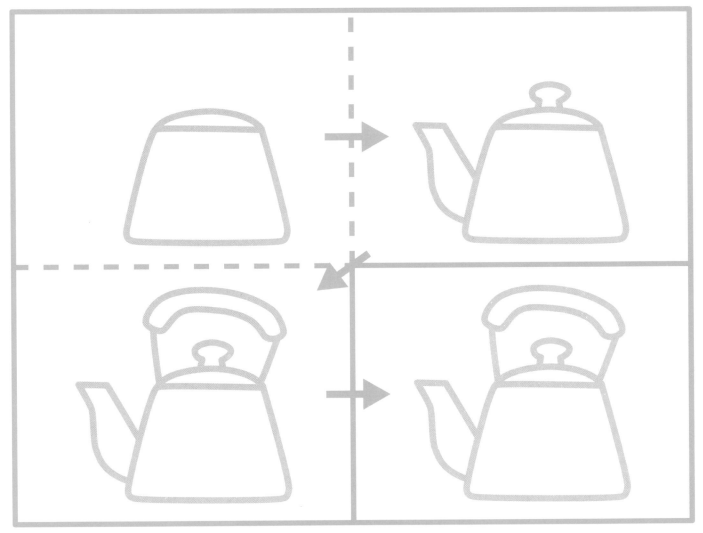

■现在请试着自己画出水壶。

布娃娃

姓名：

日期：

■仔细观察示例图，之后按箭头步骤在下图中沿灰线描出轮廓，
最后为图案上色。

示例图

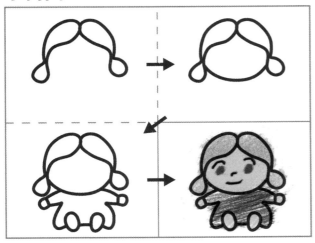

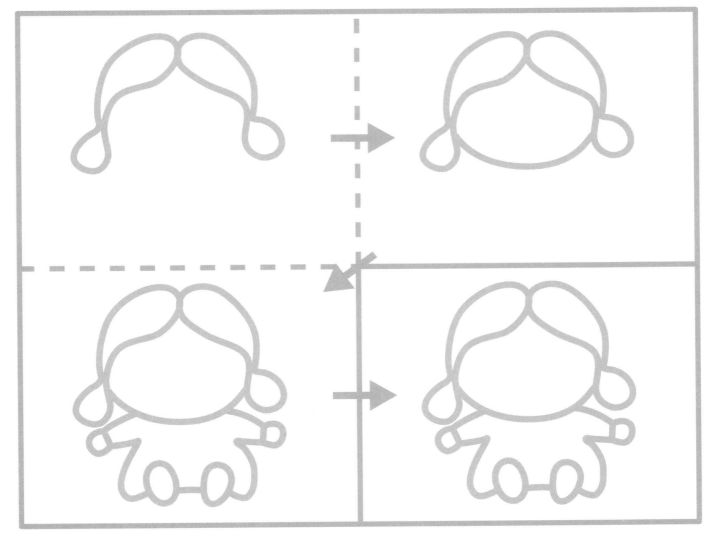

■现在请试着自己画出布娃娃。

KUMON

100% 完成证书

祝贺你完成了
最好玩的绘画书

证书颁发日期：

家长/监护人

图书在版编目（ＣＩＰ）数据

最好玩的绘画书:3～4岁 / 日本公文出版编著；王
添翼译. –– 北京：中国民族摄影艺术出版社, 2015.4
（公文式教育）
ISBN 978-7-5122-0695-3

Ⅰ.①最… Ⅱ.①日… ②王… Ⅲ.①图画课 – 学前
教育 – 教学参考资料 Ⅳ.①G613.6

中国版本图书馆CIP数据核字(2015)第074914号

TITLE：［My First Book of Drawing］
■ *Cover and Interior illustrations by Giovanni. K. Moto*　■ *Cover design by STUDIO.COM*
■ *Interior design by Motohiro Keira*

本书由日本株式会社公文出版授权北京书中缘图书有限公司出品并由中国民族摄影艺术出版社在
中国范围内独家出版本书中文简体字版本。
著作权合同登记号：01-2015-1944

策划制作：北京书锦缘咨询有限公司（www.booklink.com.cn）
总 策 划：陈　庆
策　　划：陈　辉
设计制作：王　青

书　　名：最好玩的绘画书（3~4岁）
作　　者：日本公文出版
译　　者：王添翼
责　　编：张　宇
出　　版：中国民族摄影艺术出版社
地　　址：北京东城区和平里北街14号（100013）
发　　行：010-64211754 84250639 64906396
网　　址：http://www.chinamzsy.com
印　　刷：北京美图印务有限公司
开　　本：1/16　210mm×285mm
印　　张：5
字　　数：10千字
版　　次：2017年9月第1版第4次印刷
ISBN 978-7-5122-0695-3
定　　价：29.80元